D0185782

L'Encyclopédie des animaux

le chasseur du ciel

L'AIGLE

Malcolm Penny

TRADUIT PAR
NICOLE HIBERT (INTERMÈDES)

ADAPTATION DE
MICHEL TRANIER
ZOOLOGUE AU MUSÉUM NATIONAL D'HISTOIRE NATURELLE

Dépôt légal : Mars 1991.
Loi n° 49-956 du 16 juillet 1949 sur les publications destinées à la jeunesse.

First published in England by Boxtree Limited.

ISBN 2 7404 00349

Sommaire

Carte d'identité

L'aigle est un oiseau de proie. Il chasse d'autres animaux. On rencontre ces oiseaux partout dans le monde, dans divers **habitats**. Ils ont des points communs, dus à la façon dont ils se procurent leur nourriture. Ils chassent pendant le jour et repèrent leur **proie** de très haut grâce à leur vue perçante. Ils peuvent voler très vite, attaquer avant que leur victime les ait remarqués. Ils ont des **serres** puissantes pour agripper leur proie, un bec crochu et pointu pour la déchiqueter.

Les éperviers, les buses, les faucons et les vautours sont des oiseaux de proie. Les hiboux aussi, mais ils ne sont pas du même groupe, car ils chassent la nuit.

Les aigles sont des **rapaces**. Ils vivent partout dans le monde, là où ils ont de quoi se nourrir. Certains aigles mangent des oiseaux, d'autres de petits **mammifères**, d'autres encore des poissons ou des serpents.

L'aigle a besoin d'espace pour trouver suffisamment de proies, surtout lorsqu'il élève ses petits. Cela pose parfois des problèmes, dans la mesure où le gibier se fait

Les serres sont fortes, les ongles acérés pour transpercer la proie.

L'aigle et ses outils

Le bec doit être fort et acéré pour dépecer la proie. Voilà pourquoi la mâchoire supérieure est si puissante. L'aigle peut mordre sans que son bec se déforme.

Les doigts sont recourbés afin de prendre la proie comme dans un étau. La victime ne peut plus s'échapper, une fois que l'aigle l'a attrapée.

Les yeux ne sont pas placés de chaque côté de la tête, comme chez la plupart des oiseaux, mais sur le devant. L'aigle voit donc avec les deux yeux à la fois. C'est la « vision binoculaire », qui permet à l'aigle d'y voir avec une grande précision.

Un jeune aigle a une vue aussi perçante et un bec aussi solide qu'un adulte.

rare sur les terres cultivées ou habitées. Il est aussi menacé par l'homme qui le redoute, l'accuse de voler les agneaux dans les fermes et tente donc de l'éliminer.

Dans ce livre, nous ferons la connaissance des aigles, nous apprendrons où et comment ils vivent. Nous verrons aussi les problèmes qu'ils rencontrent, et comment nous pouvons les protéger.

La chasse

L'aigle plane dans le ciel, les ailes largement déployées, en scrutant le sol pour repérer le gibier. Il chasse uniquement à la vue, et non au flair ou à l'ouïe comme beaucoup de **prédateurs**.

Les rapaces ont une vue perçante. Grâce à la disposition des cellules de la **rétine**, leur acuité visuelle est quatre fois supérieure à celle de l'homme. Une buse d'Afrique, par exemple, peut apercevoir une sauterelle à plus de cent mètres.

L'aigle attrape sa proie en plongeant brusquement sur elle et en ramenant ses ailes le long de son corps pour acquérir le maximum de vitesse.

Lorsqu'il est tout près de la victime, il déplie ses pattes, les tend en avant et enfonce ses griffes dans le corps de l'animal. On dit qu'il « lie » sa proie. Puis il ouvre ses larges et puissantes ailes pour arracher sa proie du sol.

Aigle de mer à queue blanche planant au-dessus de l'eau, à la recherche d'un poisson.

Ci-dessus : *Aigle de Verreaux transportant dans ses serres le daman qu'il a capturé.*

Ci-contre : *Cet aigle ravisseur couvre sa proie avec ses ailes avant de la dévorer.*

Il la transporte ainsi sur quelques mètres avant de la dévorer. Lorsqu'il l'a déposée par terre, il la couvre de ses ailes. On ignore encore la raison de cette attitude.

L'aigle déchiquette sa nourriture avec son bec acéré, au bout recourbé. Les bords en sont aiguisés comme des lames de ciseaux, ce qui permet à l'oiseau de couper plus facilement la peau et les **tendons** de sa victime.

Beaucoup d'aigles chassent des mammifères de taille petite ou moyenne, comme les lapins ou les **damans**. Certains se nourrissent cependant différemment.

L'aigle pêcheur

En Afrique, voir l'aigle pêcher dans les lacs est un spectacle extraordinaire. Ne pouvant pas attraper les poissons des profondeurs, il plane haut dans le ciel et guette le reflet des écailles sous l'eau.

Dès qu'il repère un poisson à sa portée, il descend en piqué et ne se remet à l'horizontale qu'au dernier moment, les pattes tendues vers l'avant, les serres ouvertes. Il manque très rarement sa cible.

L'une de ses proies favorites est le poisson-chat qui peut respirer à l'air libre ou sous l'eau grâce à ses **branchies**. Lorsque le poisson-chat monte à la surface pour respirer, l'aigle voit l'eau se rider, et attaque.

Parfois, le poisson est trop lourd et l'aigle ne réussit pas à l'emporter. Cela peut être très ennuyeux pour lui, car ses doigts sont faits de telle sorte qu'il a du mal à lâcher prise une fois qu'il a saisi sa proie. Il risque d'être entraîné par un gros poisson et de

L'aigle de mer à queue blanche est un chasseur habile, il manque rarement sa cible.

rester sous l'eau jusqu'à ce qu'il réussisse à ouvrir ses serres.

L'aigle pêcheur ne mange pas que du poisson. Il chasse des oiseaux aquatiques vivant en **colonies**, comme les jeunes cormorans, les hérons ou les spatules.

En Amérique du Nord, vit un aigle de grande taille ressemblant à l'aigle pêcheur africain, mais beaucoup moins habile à la chasse. C'est le pygargue à la tête blanche, l'emblème de l'Amérique, au plumage noir. Il est surtout **nécrophage** et se nourrit des poissons morts ou d'autres **charognes** qu'il trouve au bord de l'eau.

L'aigle et les pêcheurs

Sur le lac Malawi, lorsque les pêcheurs rentrent au port, les aigles suivent les bateaux comme les mouettes le font au bord de la mer. Car les pêcheurs lancent des poissons par-dessus bord pour le plaisir de voir les aigles les attraper. Comme la plupart des prédateurs, les aigles apprennent vite et tirent profit de tout ce qui leur facilite la vie.

Le pygargue à tête blanche d'Amérique est plus un nécrophage qu'un chasseur.

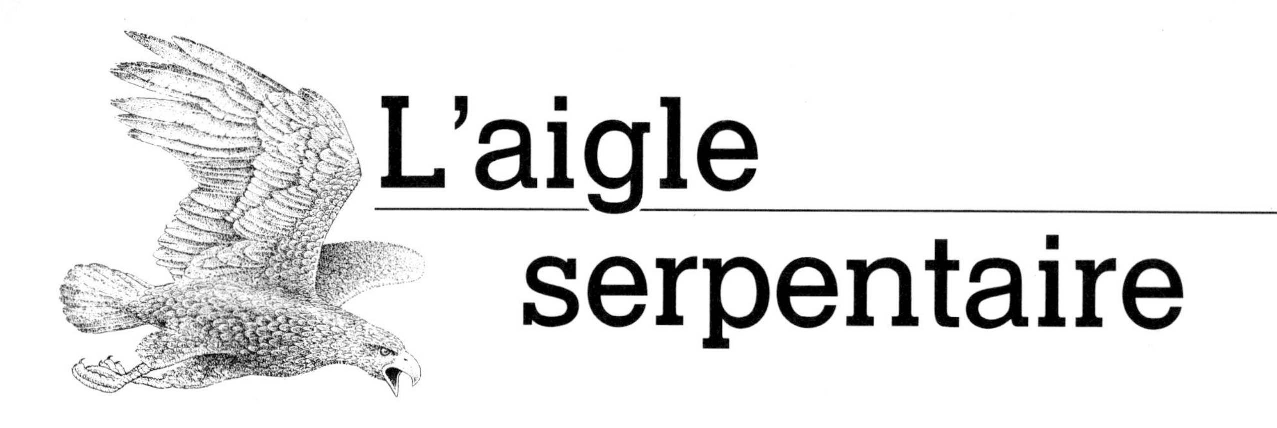

L'aigle serpentaire

En Afrique et en Inde, vivent plusieurs espèces d'aigles qui chassent les serpents. Ce sont des circaètes. Ils sont différents des autres aigles. Leurs pattes sont assez longues, recouvertes d'écailles épaisses et lisses. Leurs doigts sont courts, la plante de leurs pieds est rugueuse. Cela leur permet d'attraper des proies souvent dangereuses.

Le circaète a une vue extraordinairement perçante. Bien que ses proies soient souvent **camouflées**, il les repère de très loin, jusqu'à cinq cents mètres de distance.

Le circaète vit dans les zones boisées ou à la végétation touffue, souvent au bord des rivières. Il passe la journée perché sur un arbre mort, à guetter une proie éventuelle. Parfois il s'envole et plane lentement, la tête baissée contre le vent. C'est le plus grand rapace capable de planer de cette manière. Cela lui permet de repérer plus facilement les serpents sur le sol.

Il faut au circaète un très vaste **territoire** de chasse. Un couple peut avoir besoin de

Un circaète brun en Zambie ; perché sur une branche, il guette sa proie.

200 kilomètres carrés.

Lorsque c'est possible, l'aigle attrape des serpents non venimeux, mais il chasse aussi des espèces dangereuses, comme le cobra ou la vipère heurtante. Il évite la morsure en attaquant à toute vitesse. De plus, il est protégé par les écailles de ses pattes et l'épais duvet qui couvre ses cuisses et son ventre, si bien que le serpent ne mord en principe que les plumes. Le circaète n'est pas immunisé contre le venin du serpent, il peut mourir d'une morsure.

En Espagne, un circaète Jean-le-blanc attrape le serpent qu'il a repéré du ciel.

L'aigle des forêts

L'aigle des Philipines, ou aigle des singes, est très grand et très puissant.

Ci-contre : *La harpie féroce est devenue rare dans la plupart des forêts du Mexique.*

Dans les forêts très denses où la pénombre rend la chasse difficile, on rencontre surtout des vautours ou des hiboux. Les aigles préfèrent des zones plus dégagées, où ils peuvent tirer meilleur profit de leur puissance et de leur vitesse. Cependant, certains vivent dans des **forêts de haute futaie**, où la cime des arbres est assez élevée pour leur permettre de passer en dessous. C'est le cas de l'aigle des Philippines, appelé l'aigle des singes.

C'est un oiseau gigantesque, dont l'**envergure** atteint presque 2 mètres. Il est pourtant très agile. Malgré son surnom, il ne chasse pas que le singe. Il apprécie d'autres mammifères, comme le loris, un animal très lent qui grimpe aux arbres.

Mais il est aujourd'hui en voie de disparition. Il en reste moins de cent spécimens dans l'archipel des Philippines. Les forêts ont été détruites et on chasse les aigles pour en faire des trophées.

La harpie féroce vit aussi dans la forêt, sur le continent sud-américain. Malgré la chasse, ces aigles sont encore assez nombreux. Mais ces régions sont peu à peu déboisées pour l'agriculture et l'industrie du bois.

En Afrique, l'aigle blanchard et le serpentaire du Congo vivent sans difficultés dans les forêts les plus impénétrables. L'aigle chasse le jour, la nuit le hibou prend le relais, si bien que le gibier ne connaît jamais de repos.

Grand mais vulnérable

Quand on pense aux aigles, c'est généralement une idée de grandeur et de puissance qui vient d'abord à l'esprit. On voit un oiseau aux ailes immenses, planant sans effort dans des paysages sauvages et grandioses, plongeant de hauteurs vertigineuses sur sa proie.

L'aigle royal était autrefois très répandu. On le rencontrait dans tout l'**hémisphère** nord. Aujourd'hui, il a presque disparu des régions situées dans l'Est du continent nord-américain et dans la majeure partie de l'Europe. Les hommes l'ont beaucoup chassé, convaincus qu'il s'attaquait aux agneaux et aux autres animaux domestiques.

Haut : *Les gens craignent et respectent la force de l'aigle royal.*

Bas : *Un aigle royal prenant son essor dans l'Himalaya, au Népal.*

Maintenant on ne trouve l'aigle royal que dans des zones à faible densité de population, en Écosse ou en Scandinavie, dans les massifs montagneux du reste de l'Europe, comme les Alpes, et en Amérique du Nord.

D'autres grands aigles vivent dans diverses parties du monde, comme l'aigle martial et l'aigle couronné — ou blanchard — que l'on rencontre en Afrique, ou la harpie féroce qui vit en Amérique du Sud. Ils connaissent tous les mêmes problèmes que l'aigle royal. Il leur faut de vastes territoires de chasse, et ils sont souvent en conflit avec la population de ces régions qui veulent utiliser ces terres pour l'élevage d'animaux domestiques.

Aux États-Unis, le pygargue à tête blanche est aujourd'hui très rare. Les fermiers l'ont beaucoup chassé, car ils l'accusaient de détruire le bétail. Une accusation injuste, puisque le pygargue est avant tout un charognard qui se nourrit de cadavres. Si on le trouvait en train de dévorer un agneau mort naturellement, on le soupçonnait de l'avoir tué.

Bas : *Le pygargue à tête blanche est maintenant très rare, et la loi américaine le protège.*

Haut : *Cet aigle couronné vient de capturer une jeune gazelle.*

Essor et vol plané

Les aigles ont de très larges ailes, pour pouvoir prendre un essor dans les courants aériens ascendants, sans avoir à battre des ailes autant que les autres oiseaux. Ils doivent avoir la capacité de voler sans effort, car ils ont de très longues distances à parcourir lorsqu'ils chassent.

Les grandes plumes au bout de leurs ailes s'écartent comme des doigts. Chaque plume devient alors une petite aile supplémentaire, ce qui permet à l'oiseau de monter plus haut.

Parade et construction du nid

Chez les aigles, la parade nuptiale est spectaculaire. Le mâle et la femelle survolent ensemble leur territoire, plongeant et remontant vers les nuages. Ils font des acrobaties, la tête en bas, se prennent même par les pattes. Chacun veut montrer à l'autre comme il vole bien.

L'un des buts du vol nuptial est de faire comprendre aux aigles des environs que ce territoire est occupé. Les autres n'auront qu'à se chercher leur propre domaine.

La parade terminée, le couple choisit un emplacement pour le nid – appelé aire –, souvent en hauteur, sur une falaise ou à la cime d'un arbre mort. Cela permet aux aigles de surveiller leur territoire et de remarquer l'approche d'autres oiseaux. De plus, les prédateurs auront moins de chances de l'atteindre. Un couple peut revenir au même endroit année après année, ou bien utiliser alternativement plusieurs sites.

Il faut d'abord construire le nid ou réparer l'ancien. Le couple cherche les matériaux appropriés. Comparés à d'autres oiseaux, les aigles sont assez maladroits. Ils empilent des bouts de branches les uns sur les autres, en désordre, au lieu de les entrelacer. Mais les nids semblent assez solides, car ils durent plusieurs saisons. Chaque année, les aigles n'ont qu'à ajouter des branches supplémentaires.

L'intérieur du nid est tapissé d'herbe sèche ou de petits rameaux arrachés aux arbres voisins. Ces rameaux sont souvent couverts de feuilles, comme si les aigles les choisissaient pour décorer le nid.

Ci-dessus : *Le nid surélevé et désordonné d'un pygargue au-dessus de la mer, en Alaska.*

Ci-contre : *Aigle impérial en train de déchiqueter la nourriture pour son petit.*

Les retrouvailles

La plupart des aigles se marient pour la vie, mais après l'élevage des jeunes, ils retrouvent leur solitude pour le reste de l'année, et se tiennent loin des autres.

Quand la saison des amours revient, le mâle et la femelle regagnent séparément leur territoire pour rejoindre leur compagnon. La parade est un moment essentiel, car ils apprennent de nouveau à ne pas avoir peur l'un de l'autre.

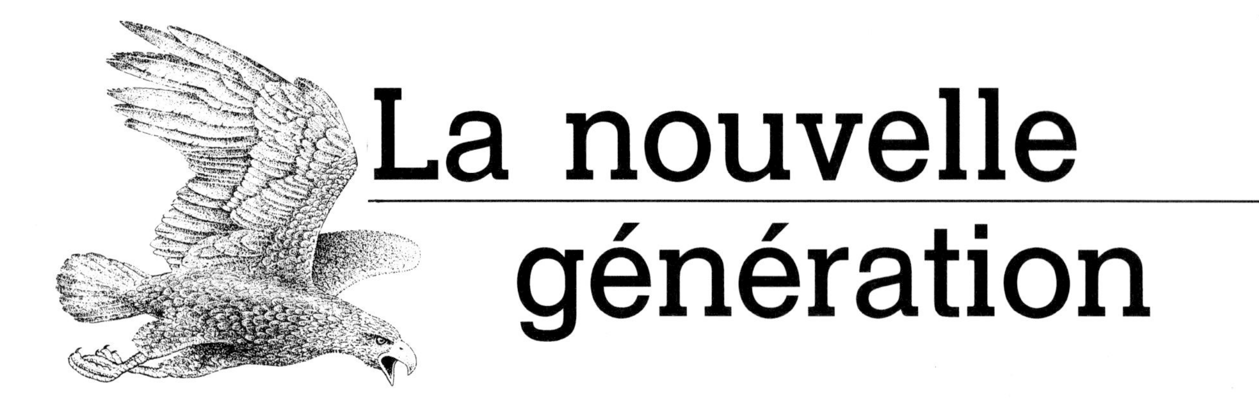

La nouvelle génération

Certains aigles ne pondent qu'un œuf, d'autres en pondent deux ou trois. Quand ils sont éclos, les parents donnent à tour de rôle la **becquée** aux petits. Plus tard, quand leur bec et leurs serres seront plus forts, les **aiglons** apprendront à déchiqueter eux-mêmes leur nourriture.

Les parents ne partagent pas la nourriture entre les petits de manière égale. L'aiglon le plus vigoureux, souvent le premier éclos, avale tout ce qu'il peut manger, avant d'en laisser aux autres. S'il n'y a pas assez à manger, les plus faibles meurent. Cela nous paraît cruel, mais cela donne une chance de survie à l'aiglon le plus fort les années où la nourriture manque, et à tous les petits quand elle est abondante.

Quand il n'y a pas assez de nourriture pour tous les petits, l'un d'eux risque de mourir.

Ci-dessus : *L'aiglon botté, encore couvert de duvet, essaye ses ailes toutes neuves.*

Au début, les oisillons sont recouverts de **duvet**, puis le plumage commence à pousser, y compris les grandes plumes de la queue et des ailes qui leur permettront de voler. En vieillissant, les aiglons apprennent à se tenir sur le bord du nid, face au vent, et à battre des ailes.

Dans un premier temps, ces battements n'ont aucun résultat. Puis, à mesure que les plumes poussent et se fortifient, les jeunes réussissent à s'élever au-dessus du nid. L'un après l'autre, ils s'en iront pour des promenades de plus en plus longues. Certains s'envoleront pour ne plus jamais revenir.

Les parents les nourrissent encore un moment après qu'ils ont quitté le nid. Mais, dès qu'ils auront appris à se procurer eux-mêmes leur nourriture, les parents les écarteront définitivement.

Cet aiglon royal pourra bientôt voler et quitter le nid pour toujours.

L'aigle et son territoire

Ci-dessus : *Pygargues à tête blanche guettant les saumons près d'un torrent.*

Droite : *L'aigle bateleur est un formidable acrobate aérien.*

Tous les oiseaux, y compris les aigles, défendent un petit territoire autour du nid, pour protéger leurs petits. La plupart des aigles défendent aussi un territoire de chasse, qui peut s'étendre sur 200 kilomètres carrés. Cependant, ils livrent rarement combat. Ils se contentent de pousser des cris menaçants, et de plonger sur les intrus pour les impressionner.

Cette attitude est peut-être due à leur excellente vision. Si l'intrus peut apercevoir de très loin le maître du territoire, il a amplement le temps de faire demi-tour avant l'affrontement. Les aigles évitent au maximum de se battre. Ils savent que même le vainqueur peut être blessé.

Si l'intrus continue à avancer, le maître du territoire vole droit vers lui, lentement, en criant. En principe, l'autre se décourage immédiatement.

Certains aigles semblent capables de partager leur terrain de chasse avec d'autres couples de la même espèce. C'est le cas du pygargue à tête blanche d'Amérique et de l'aigle pêcheur d'Afrique. Ce comportement apparemment étrange peut s'expliquer par la façon dont ces oiseaux se nourrissent.

Les pygargues à tête blanche sont surtout des charognards. A la saison du **frai**, les saumons meurent après s'être reproduits, aussi les pygargues ont-ils largement de quoi manger. Ils se tiennent près des rivières, en groupes de vingt ou trente oiseaux, et chacun supporte la présence des autres, puisque la nourriture est abondante. Il en va de même pour les aigles pêcheurs, lorsqu'ils vivent auprès d'un lac poissonneux.

Les aigles voyageurs

Certaines espèces d'aigles migrent vers d'autres territoires après la période de reproduction. Ils s'en vont parce que les réserves de nourriture sont épuisées ou que le climat ne leur convient plus. Certains ne parcourent que de courtes distances, d'un pays d'Afrique à l'autre. D'autres, à l'approche de l'hiver, quittent leur territoire du nord où ils se sont reproduits et font des milliers de kilomètres. Ils suivent ainsi des « routes » qui les mènent vers le sud.

En Amérique, l'une des routes les plus importantes passe par Hawk Mountain, en Pennsylvanie. Au printemps et à l'automne, on peut y voir passer, en une seule journée, des milliers d'aigles de diverses espèces. On assiste à des spectacles semblables dans les montagnes d'Afghanistan et d'Iran, lorsque les aigles d'Asie s'en vont vers des régions où l'hiver est plus doux.

Certains, comme l'aigle des steppes et l'aigle criard, quittent l'Europe pour passer

Chaque hiver, en Afrique, l'aigle ravisseur reçoit de nombreux visiteurs.

Recensement

Il peut paraître facile de recenser les aigles, lorsqu'ils passent par un point précis au cours de leur migration, mais en réalité c'est loin d'être si simple. Ils ont l'habitude de voler très haut dans le ciel, si bien qu'il est difficile de les identifier ou même de les apercevoir. De plus, ils volent souvent en tournoyant, et prennent leur essor en profitant des **ascendants thermiques** au-dessus des montagnes.

l'hiver en Afrique. Mais leur parent proche, l'aigle ravisseur, vit en Afrique toute l'année. Pour lui, quand les voyageurs venus du nord arrivent, la compétition est rude. Heureusement, comme il ne se reproduit pas à cette période, il y a assez de nourriture pour tous.

Les circaètes Jean-le-blanc quittent l'Espagne pour passer l'hiver en Afrique.

Le nombre des migrateurs est étonnant : dans une région d'Afrique du Sud, on dénombre en moyenne 130 rapaces résidents ; l'hiver, le nombre des visiteurs atteint 8 000. Quand les migrateurs retournent vers le nord pour l'été, ils programment leur arrivée pour qu'elle coïncide avec le moment où leurs proies, comme les lapins ou les lemmings, commencent à se reproduire.

Légendes et superstitions

L'aigle était l'emblème de l'Empire romain. Dans un passé encore plus reculé, il était une divinité à Sumer, à Babylone et dans l'Inde antique. L'aigle à deux têtes symbolise la fusion, en 1472, des empires roman et byzantin, les deux grands empires de l'époque. De nos jours, l'aigle apparaît encore sur le drapeau ou les **armoiries** de certains pays.

Dans les églises, la Bible repose sur un **lutrin** en forme d'aigle, peut-être parce que l'aigle était l'emblème de saint Jean ou qu'il est l'ennemi du serpent, symbole du démon.

Les archers utilisaient des plumes d'aigle pour leurs flèches, afin de les rendre plus rapides et plus solides. Aujourd'hui, certaines personnes portent une serre d'aigle en talisman. Elles ignorent sans doute qu'il s'agit là d'une ancienne **superstition**, venant du temps où les hommes croyaient que tuer un animal, le manger ou porter sur soi une partie de son corps, permettait de s'approprier les pouvoirs de cet animal.

Bien que les aigles royaux et d'autres espèces tuent parfois des agneaux, ils

Droite : *Pour la plupart des tribus indiennes d'Amérique, l'aigle est sacré.*

L'aigle et les Indiens d'Amérique

Pour la plupart des tribus indiennes, l'aigle est un symbole important. Il est associé à l'idée de soleil, de force et de courage. Voilà pourquoi les guerriers indiens portaient une plume d'aigle piquée dans leur bandeau. Seul le chef avait le privilège de porter une coiffe tout en plumes.

Ci-contre : *Un parc national, aux États-Unis, où l'on peut venir observer les aigles.*

chassent généralement des animaux de plus petite taille. Il n'était pas rare autrefois que des bergers affamés mangent un agneau et accusent ensuite les aigles de l'avoir volé.

Au Texas, pour protéger leur bétail, les fermiers tuent et empoisonnent encore les aigles, surtout quand ils traversent l'état en masse, au moment de la migration. On a démontré que, même si tous ces aigles migrateurs se nourrissaient uniquement d'agneaux, ils ne prélèveraient qu'une petite partie des troupeaux. En fait, les aigles mangent essentiellement des lapins et des lièvres. Cela rend d'ailleurs service aux fermiers, puisque ces lapins et ces lièvres dévorent l'herbe destinée aux moutons.

L'aigle en danger

Dans la plupart des pays, la loi interdit de tuer les aigles. Mais ils ont été tellement chassés par le passé qu'ils sont devenus très rares à l'est des États-Unis et dans la majeure partie de l'Europe. Aujourd'hui, des dangers beaucoup plus graves les menacent.

Parmi ces dangers, le pire est la disparition de leur habitat. Lorsqu'on abat des forêts ou que l'on se met à cultiver des terres vierges, à construire des villes, les aigles ne peuvent plus trouver les vastes territoires de chasse qui leur sont nécessaires.

Les **pesticides** représentent aussi une menace sérieuse. Les poisons utilisés pour détruire les insectes contaminent les animaux qui mangent ces insectes. Leur organisme stocke le poison au lieu de l'évacuer.

On mesure la coquille des œufs pour étudier les effets du DDT, un insecticide.

Un aigle impérial blessé soigné par le garde d'un parc national, en Inde.

A mesure qu'on remonte dans la **chaîne alimentaire**, les animaux sont de plus en plus contaminés. Un rapace comme l'aigle, au bout de cette chaîne, peut absorber dans sa vie une dose massive de poison.

Même si les pesticides ne le tuent pas, ils agissent sur sa reproduction. On a découvert que les œufs des oiseaux contaminés par ces poisons avaient des coquilles très fragiles. Ils se cassent avant d'être éclos.

Le pygargue, dans les régions d'Amérique où il survit encore, a un autre danger à affronter : le pétrole. Le naufrage d'un pétrolier en Alaska, en 1989, en a fourni une démonstration tragique. Les oiseaux ont envahi les plages pour dévorer les cadavres des poissons et des loutres de mer tués par la marée noire. Beaucoup de pygargues sont morts empoisonnés.

Les aigles et l'électricité

Aux États-Unis, les aigles prennent souvent les pylônes électriques pour des arbres morts. Ils s'y perchent ou y construisent leur nid. Si une brindille touche le câble sous tension, ou si l'aigle le frôle avec son aile, il est électrocuté.

Protéger les aigles

On peut protéger les aigles de diverses façons, en fonction des dangers qui les menacent. Il faut expliquer aux gens que les aigles s'attaquent très rarement aux animaux domestiques. Les fermiers devraient protéger les bêtes qui viennent de naître au lieu de chasser les aigles qui leur apportent une aide précieuse en détruisant les animaux qui peuvent être nuisibles comme les lapins.

Faire comprendre cela aux fermiers serait plus efficace que de voter des lois pour protéger les aigles et punir les gens qui ne les respectent pas. Payer des amendes et aller en prison ne ressuscite pas les aigles.

Les produits chimiques les plus toxiques sont interdits dans la plupart des pays développés, mais ils ont encore utilisés dans les pays pauvres. Tant que cette situation ne changera pas, les aigles et tous les oiseaux de proie seront menacés. Les pesticides sont testés avant d'être utilisés, pour avoir la certitude qu'ils détruisent uniquement les fléaux qu'ils sont censés combattre.

Le problème de la destruction de l'habitat est plus difficile à régler, car les hommes ont

Les aigles sauvés de l'électrocution

Aux États-Unis, l'électricité représente un danger moins grave que dans le passé. On a changé les pylônes, et les câbles sont maintenant plus écartés les uns des autres. Les aigles peuvent voler entre les pylônes sans les toucher. De temps à autre, les ingénieurs se chargent de vérifier l'état des nids et de les arranger pour que les brindilles ne touchent pas les câbles.

Ci-contre : *Si l'aigle peut survivre, cela prouve que l'environnement est équilibré.*

Ci-dessous : *Pygargues à tête blanche élevés en captivité aux États-Unis.*

besoin de terres à cultiver et à bâtir. Mais l'agriculture et l'industrie forestière pourraient se développer tout en préservant davantage de territoires pour les aigles.

Il faut protéger les aigles, car leur présence prouve que l'**environnement** est équilibré. Ils servent d'indicateur de la diversité des espèces et jouent donc un rôle écologique important. C'est une raison supplémentaire d'assurer leur survie.

LEXIQUE

Armoiries. Emblèmes qui symbolisent une famille noble, une ville ou un pays.

Ascendance thermique. Courant d'air chaud qui va en montant.

Branchie. Organe fait de peau très mince qui permet aux poissons de respirer sous l'eau.

Becquée. Ce qu'un oiseau prend dans son bec pour nourrir ses petits.

Camouflé. Dont la couleur se confond avec celle du milieu, donc difficile à repérer.

Carnivore. Qui mange de la viande.

Chaîne alimentaire. Cycle naturel débutant par les plantes, mangées par de petits animaux, eux-mêmes mangés par des animaux plus gros, eux-mêmes dévorés par les prédateurs.

Charogne. Corps de bête morte.

Colonie. Réunion d'animaux vivant en commun.

Daman. Petit mammifère ressemblant à une marmotte et vivant par petites bandes en Afrique et en Asie.

Duvet. Petites plumes noires et légères qui poussent les premières sur le corps des oisillons.

Envergure. L'étendue des ailes d'un oiseau, lorsqu'elles sont déployées.

Environnement. Décor naturel d'un animal ou d'une plante.

Essor. Élan d'un oiseau qui s'envole.

Forêt de haute futaie. Forêt d'arbres très élevés.

Frai. Ponte des œufs par la femelle des poissons ; fécondation de ces œufs par le mâle.

Habitat. Endroit qui convient le mieux à une espèce animale ou végétale.

Hémisphère. Chacune des deux moitiés du globe terrestre, délimitées par l'équateur.

Immuniser. Rendre insensible au poison, au venin de certains animaux.

Lutrin. Pupitre sur lequel on met la Bible ou les livres de chant, dans les églises.

Mammifères. Animaux à sang chaud, dont les femelles allaitent leurs petits à la mamelle.

Migration. Déplacement qu'accomplissent certaines espèces animales, au printemps et en hiver.

Nécrophage. Qui se nourrit de cadavres.

Pesticide. Substance utilisée pour détruire les insectes ou les plantes qui endommagent les cultures.

Prédateur. Animal qui se nourrit de proies.

Proie. Être vivant dont un animal s'empare pour le dévorer.

Rapaces. Oiseaux carnivores aux doigts armés d'ongles forts et crochus, au bec puissant.

Recenser. Compter.

Rétine. Ensemble de cellules qui, comme un écran, tapissent le fond de l'œil.

Serres. Griffes ou ongles de certains oiseaux, surtout des oiseaux de proie.

Superstition. Le fait de croire que certaines choses portent bonheur ou malheur.

Tendon. Ligament qui relie les muscles aux os.

Territoire. Endroit qu'un animal considère comme le sien, où il se nourrit et se reproduit, et qu'il défend contre les intrus.

Index

Les chiffres en **gras** désignent les illustrations.

Remerciements

Les éditeurs remercient la photothèque
Survival Anglia et les artistes
qui les ont autorisés à utiliser les photographies
figurant aux pages suivantes :

Jeff Foot 4, 9, 15, 17, 20, 24, 25, 26, 28, 29 ; Jozef Mihok 5, 16, 18, 19 ; Dieter et Mary Plage 6, 8, 14 ; Alan Root 7, 15 ; Bill Cowen 7 ; Cindy Buxton 8 ; Cesallos/Kemp 11 ; Maurice Tibbles 12 ; John Harris 13 ; Bamford & Borrill 14 ; Mike Tomkies 19 ; Bruce Davidson 21 ; Richard et Julia Kemp 23 ; Bruce Davidson 21 ; Richard et Julia Kemp 23 ; Jen et Des Bartlett 22 ; Mike Price 27.